SHAPES

매스티안

팩토슐레 Math Lv. 2 교재 소개

" 우리 아이 첫 수학도 창의력을 키우는 **FACTO**와 함께! "

- **팩토슐레**는 처음 수학을 시작하는 유아를 위한 창의사고력 전문 프로그램입니다.
- **팩토슐레**는 만들기, 게임, 색칠하기, 붙임딱지 붙이기 등의 다양한 수학 활동을 하면서 스스로 수학 개념을 알 수 있도록 구성하였습니다.

※팩토슐레는 6권으로 구성되어 있으며, 각 권에는 30가지의 재미있는 활동이 수록되어 있습니다.

누리과정

팩토슐레는 누리과정 · 초등수학과정을 연계하여 수학의 5대 영역(수와 연산, 공간과 도형, 측정, 규칙, 문제해결력)을 균형 있게 학습할 수 있도록 하였습니다.
특히 가장 중요한 수와 연산은 각 권으로 구성하여 깊이 있는 학습이 가능하도록 하였습니다.

STEAM PLAY MATH

팩토슐레는 4, 5, 6세 연령별로 학습할 수 있도록 설계한 놀이 수학입니다.
매일매일 놀이하듯 자르고, 붙이고, 색칠하는 30가지의 재미있는 활동을 통해 창의사고력을 기를 수 있습니다.

동화책풍의 친근한 그림

팩토슐레는 동화책풍의 그림들을 수록하여 아이들이 수학을 더욱 친근하게 느끼며 좋아할 수 있도록 하였습니다. 또한 한글을 최소화하고 학습 내용을 직관적으로 이해할 수 있도록 하였습니다.

팩토슐레 Math Lv. 2 교구·App 소개

" 수학 교육 분야 **증강현실**(AR)과 **사물인식**(OR) 기술을 **국내 최초** 도입 "

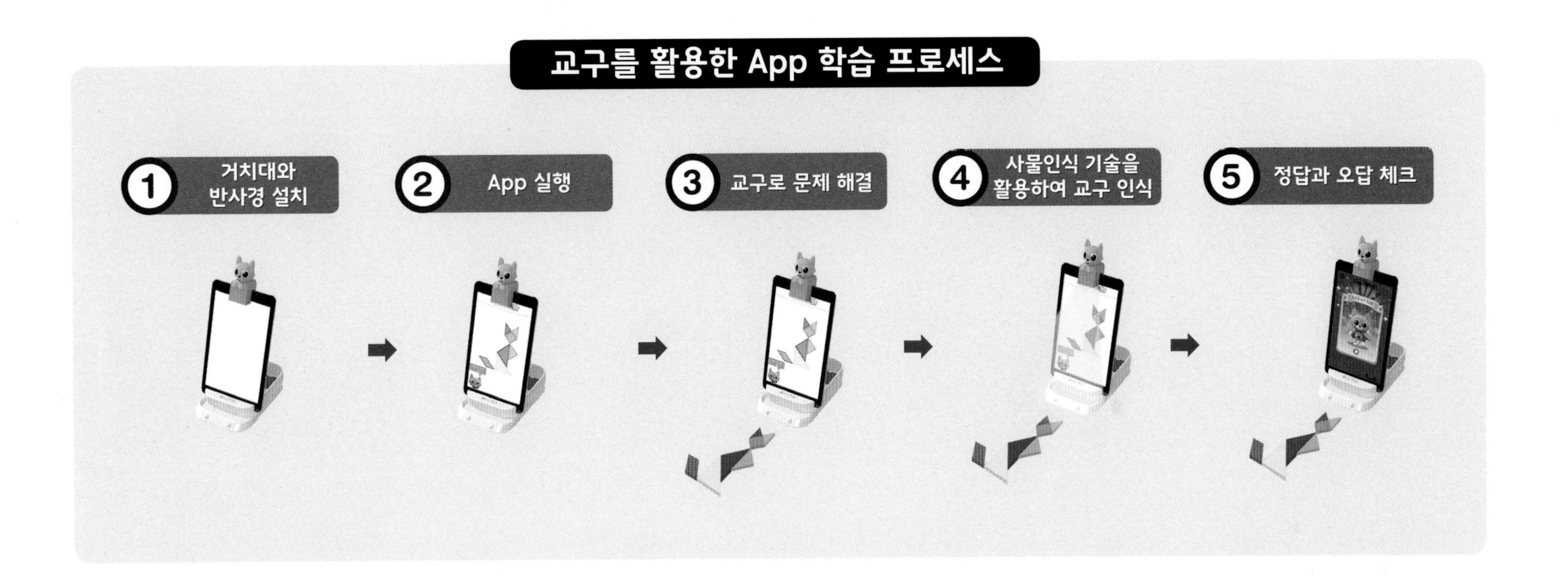

자기주도학습 팩토슐레 App만의 장점

팩토슐레 App은 사물인식(OR) 기술을 사용하여 아이들의 학습 정보를 습득한 후, App에 프로그래밍된 학습도우미를 통하여 아이들이 문제 푸는 것을 힘들어하거나 틀릴 경우에는 힌트를 제공합니다.
이와 같은 방식의 스마트기기와의 상호작용은 학습의 효율을 높이고 자기주도학습 능력을 길러 줍니다.

완벽한 학습 설계 App 다른 교육 App과의 차별점

팩토슐레 App은 수학 교육 목표에 맞게 완벽한 학습 설계가 되어 있습니다. 아이들은 게임 기반의 학습 App을 진행하면서 어려운 문제도 술술 풀 수 있습니다.

증강현실(AR) 기술 도입

팩토슐레 App은 아이들이 캐릭터와 사진도 찍고, 자신이 그린 그림으로 자기만의 쿠키도 만들면서 학습 몰입도를 높일 수 있습니다.

01

동물 친구들이 숲속에서 한가롭게 놀고 있어요. 그런데 저 동물은 무엇일까요?
세모 붙임딱지를 붙여 **어떤 동물**인지 알아보세요. 붙임딱지 ①

1
2
3
4
5
6
7
8
9
10
11
12
13
14
15
16
17
18
19
20
21
22
23
엄마는 선생님!
다양한 모양의 삼각형 조각을 붙이는 과정에서 삼각형의 모양과 특징을 알 수 있습니다.

02
연극이 곧 시작돼요. 커튼 뒤로 준비하고 있는 동물들의 그림자가 보이네요.
펭귄, 판다, 호랑이, 돼지가 찾는 친구들은 어디에 있는지 함께 찾아보세요.

엄마는 선생님!
그림자를 관찰하여 모양의 특징을 찾는 활동을 통해 추론 능력을 기를 수 있습니다.

03
돼지, 펭귄, 호랑이가 눈이 쌓인 언덕을 내려갔네요. 하얀 눈 위에 자국이 남았어요!
겹쳐진 자국을 보고 누가 먼저 언덕을 내려갔는지 찾아 ○표 하세요.
(,)가 먼저 내려갔어.
발자국이 스키 자국보다 아래에 찍혔네.
(,)이 먼저 내려갔어.

(,)이
먼저 내려갔어.
엄마는 선생님!
먼저 언덕을 내려간 자국이 아래에 찍힙니다. 겹쳐진 자국을 비교하며 추론 능력을 키울 수 있습니다.

04 동물 친구들이 전시회를 보러 미술관에 왔어요. 네모로 그려진 멋진 작품들이 많네요. 미술관에 있는 그림들처럼 **색칠**하여 **나만의 작품**을 만들어 보세요.

엄마는 선생님!
다양한 크기의 사각형을 색칠하며 창의적인 그림을 완성하는 활동을 통해 사각형의 모양과 특징을 알 수 있습니다.

05
동물 친구들이 언덕에서 소풍을 즐기고 있어요. 그런데 친구들 주변에 그림이 숨어 있네요.
숨은 그림을 찾아볼까요?
숨은 그림

세밀한 관찰을 통해 숨은 그림을 찾아가는 과정에서 집중력이 향상됩니다.

06 동물 친구들이 동그라미, 세모, 네모 모양의 음식으로 재미있는 표정을 만들었어요.
접시와 **같은 모양**의 음식을 올려서 다양한 **표정**을 만들어 보세요. 붙임딱지 ①

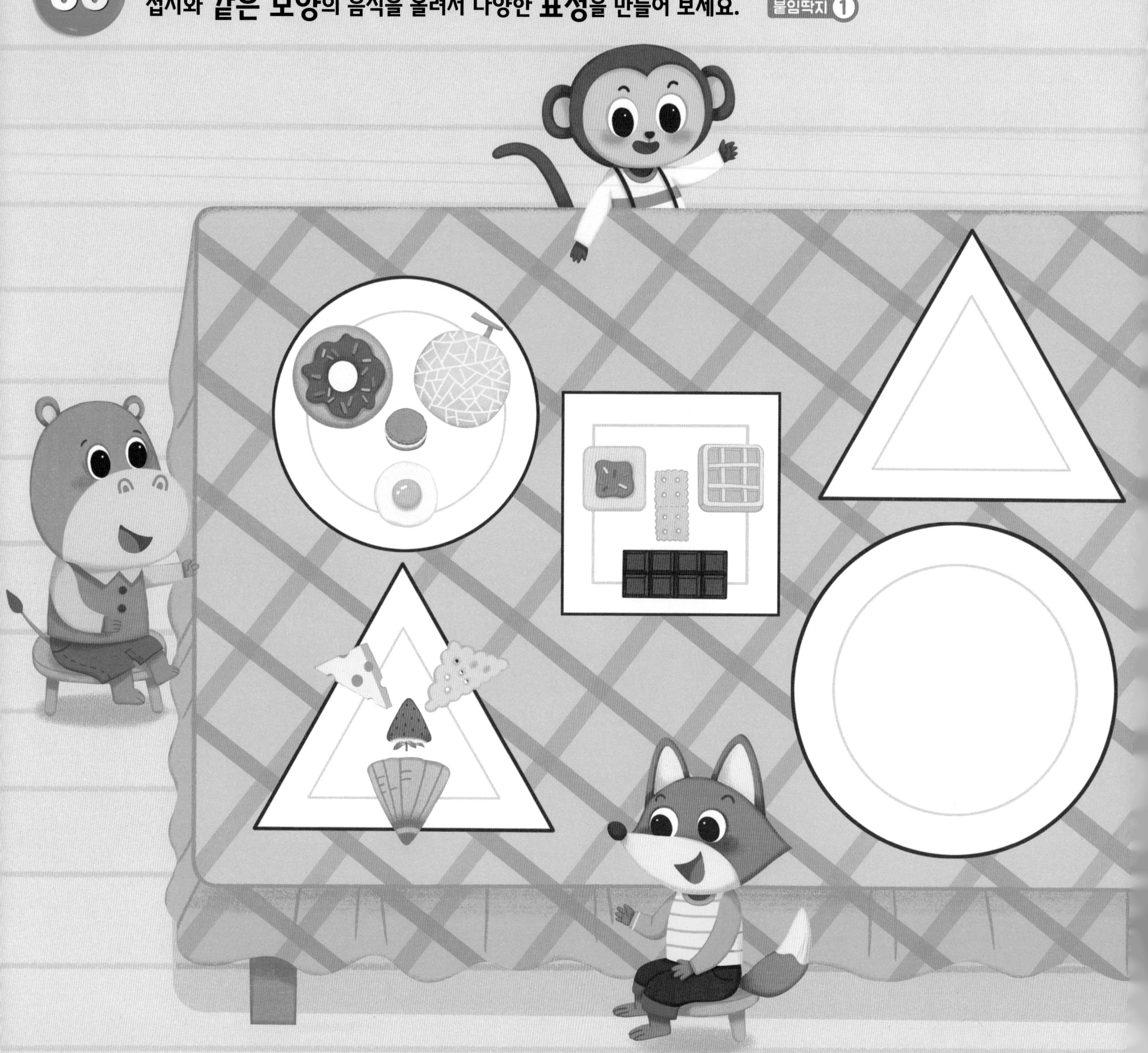

엄마는
선생님!
음식을 원, 삼각형, 사각형 모양으로 분류하고 재미있는 표정을 만들며 관찰력과 창의력을 기를 수 있습니다.

07

친구들이 자기 집 앞에서 찍은 사진을 자랑하고 있어요. 동물 친구들이 손에 들고 있는 사진을 자세히 보고 **토끼, 원숭이, 여우, 호랑이**의 **집**을 찾아보세요.

문, 창문, 지붕, 굴뚝을 관찰하여 같은 그림을 찾는 활동을 통해 관찰력과 정보 처리 능력을 기를 수 있습니다.

08 동물 친구들이 언덕에서 나비와 꽃을 관찰하고 있어요. 패턴블록 조각으로

해, 나무, 나비, 꽃을 맞춰 보세요. 활동지 ①

패턴블록 조각을 다양한 도형으로 구분하고 여러 가지 모양을 만들 수 있습니다.

09

동물 친구들이 멋진 집을 만들고 있어요. 마지막으로 집을 예쁘게 칠하면 끝나요!
설계도와 **똑같이** 완성되도록 집을 색칠해 보세요.

다양한 색깔의 위치를 인지하고 색칠하는 활동을 통해 관찰력과 인지 능력을 기를 수 있습니다.

10

친구들이 몸을 이용해서 동그라미, 세모, 네모를 나타냈어요. 어떤 **모양**을 나타냈는지 알아보세요. 그리고 직접 **몸**을 이용해서 동그라미, 세모, 네모를 만들어 보세요.

엄마는 선생님!

직접 몸을 이용하여 다양한 방법으로 원, 삼각형, 사각형을 표현하는 활동을 통해 각 모양의 특징을 알 수 있습니다.

11 친구들이 유리창에 있는 겹쳐진 모양을 보고 똑같이 붙이려고 해요. 어떤 모양들이 겹쳐진 걸까요?

동그라미, 세모, 네모를 겹쳐서 **똑같은** 모양으로 붙여 보세요. 활동지 ②

활동지
붙이는 곳

활동지
붙이는 곳

활동지
붙이는 곳

활동지
붙이는 곳

활동지
붙이는 곳

활동지
붙이는 곳

활동지
붙이는 곳

엄마는 선생님!

겹쳐진 모양을 관찰하여 원, 삼각형, 사각형 모양의 특징을 배울 수 있습니다.

12

가게 선반 위에 물건들이 흐트러져 있어요. 모자와 가방의 장식은 어떻게 보일까요?
물건이 놓인 **방향**에 알맞게 장식을 붙여 보세요. 활동지 3

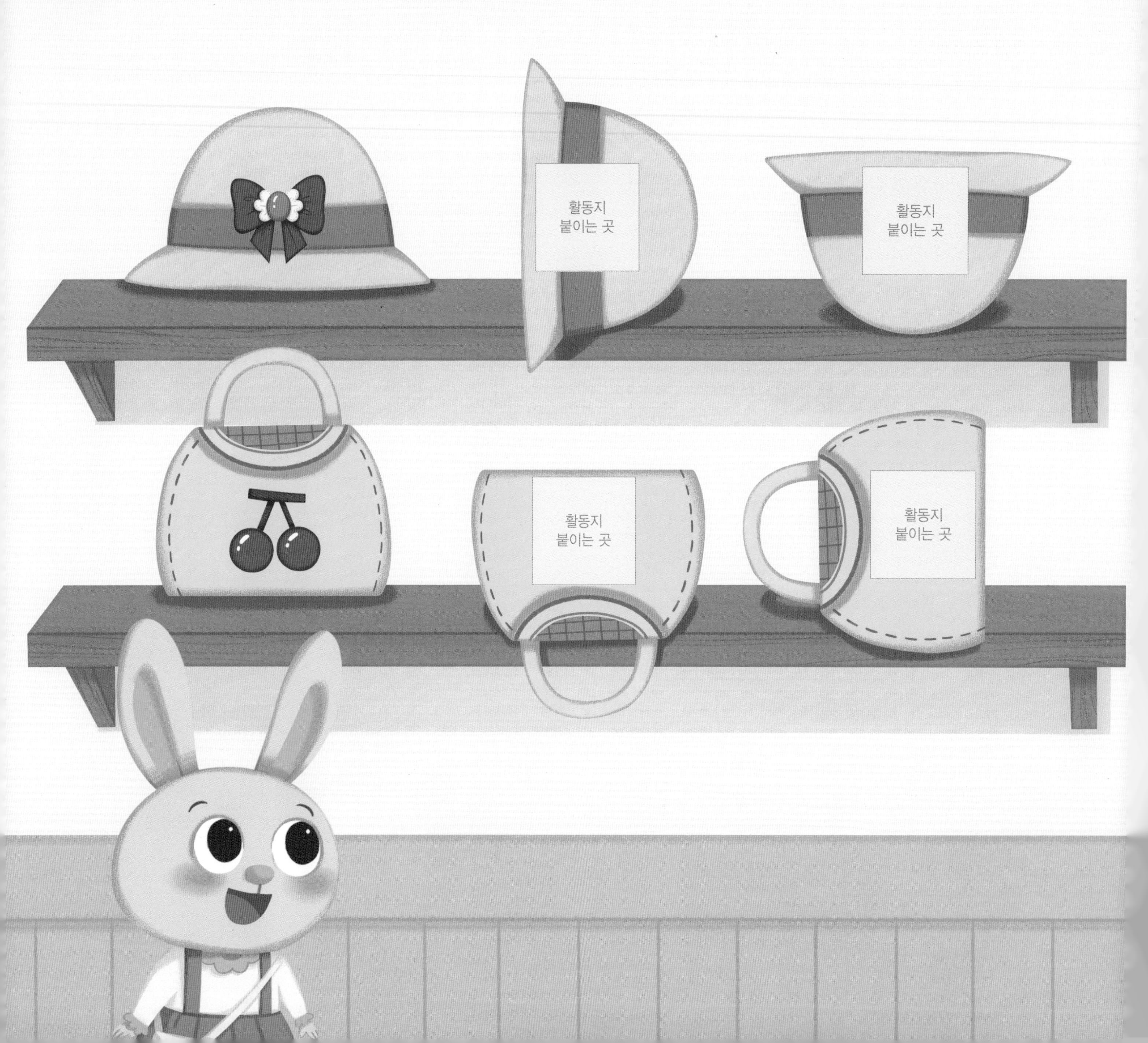

엄마는 선생님!

그림을 시계 방향으로 90°, 180°, 270° 만큼 회전했을 때 나오는 모양을 알 수 있습니다.

13 동물 친구들이 색 막대를 겹쳐서 다양한 모양을 만들었어요. 친구들이 만든 모양과 **똑같이** 만들어 보세요. 그리고 **나만의 특별한 모양**도 만들어 보세요.

활동지 ④

엄마는 선생님!
모양을 보고 색 막대가 겹쳐진 순서를 파악하여 똑같이 만드는 활동을 통해 공간 지각 능력을 기를 수 있습니다.

14 돼지와 여우가 기차역에 있어요. 마침 역으로 기차가 들어오고 있네요.
동그라미, 세모, 네모로 **기차역**과 **기차**를 맞춰 보세요. 활동지 ②

엄마는 선생님!

원, 삼각형, 사각형의 특징을 이해하고 빈 곳을 채우는 방법을 생각해 보면서 추론 능력을 기를 수 있습니다.

15

토끼가 친구들과 해변에 갔어요. 그런데 비슷한 동물이 많아서 친구들을 잃어버렸네요.
해변에서 토끼의 친구 **5명**을 찾아보세요.

주어진 그림의 특징에 따라 기준을 세워서 같은 동물을 찾는 활동을 통해 정보 처리 능력을 기를 수 있습니다.

16

동그라미, 세모, 네모로만 이루어진 '모양 나라'예요. 예쁜 새들도 보이고 귀여운 강아지도 보이네요!
빈 곳에 나무, 집, 꽃 등을 만들어 **나만의 모양 나라**를 완성하세요. 활동지 4

엄마는 선생님!

원, 삼각형, 사각형으로 여러 가지 모양을 만드는 활동을 통해 창의력을 키울 수 있습니다.

17

생일 파티가 끝나서 친구들이 집으로 돌아가려고 해요. 그런데 신발이 마구 섞여 있네요.
동물 친구들이 집으로 돌아갈 수 있도록 **신발**을 찾아주세요.

엄마는 선생님!
신발의 특징에 따라 기준을 세워서 같은 그림을 찾는 활동을 통해 정보 처리 능력을 기를 수 있습니다.

18 연못이 있는 숲속에서 동물들이 놀고 있어요. 패턴블록 조각으로 **백조**와 **여우**와 **코끼리**를 맞춰 보세요. 활동지 ①

엄마는 선생님!
패턴블록 조각으로 빈 곳을 채우는 다양한 방법을 생각해 보면서 추론 능력을 기를 수 있습니다.

19

판다가 심부름을 하러 나왔어요. 거리에 다양한 모양의 건물들이 보이네요.
블록으로 거리에 있는 건물 모양을 **똑같이** 만들어 보세요. 활동지 ③

블록으로 주어진 모양과 똑같이 만드는 활동을 통해 분석력과 공간 지각 능력을 기를 수 있습니다.

20

동물 친구들이 블록 놀이를 하고 있어요. 토끼, 판다, 하마, 돼지가 주어진 블록으로 만들 수 **있는** 모양은 어느 것인지 찾아보세요. 활동지 ❸

엄마는 선생님!

눈으로 구분하기 어려울 때는 활동지 블록을 이용하여 직접 모양을 만들어 확인합니다.

21 동물 친구들이 가면 놀이를 하고 있어요. 어떤 방법으로 가면을 만들었을까요? 가위로 종이를 오려서 예쁜 **가면**을 만들어 보세요.

Let's play! 활동지 ⑤

① 고양이 가면은 접지 않고 그대로 자르는 선을 따라 가위로 오립니다.

② 부엉이 가면은 점선을 따라 한 번 접고 자르는 선을 따라 가위로 오립니다.

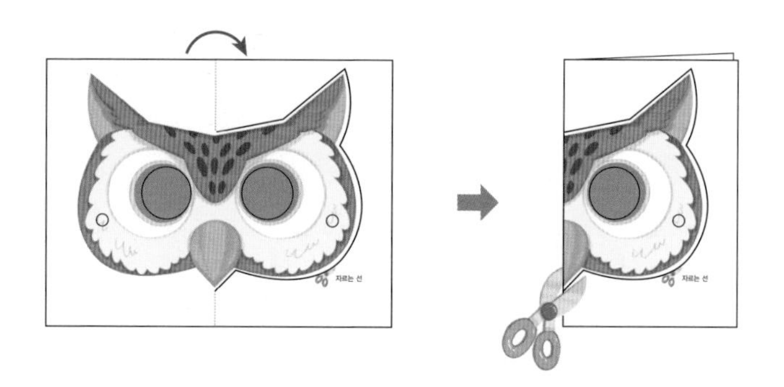

③ 구멍을 뚫고 고무줄을 끼워서 가면을 완성합니다.

④ 완성한 가면을 쓰고 동물 흉내를 내며 가면 놀이를 합니다.

엄마는 선생님!
두 가지 방법으로 가면을 만들면서 종이를 접어서 대칭을 이용하는 방법이 더 편하다는 것을 알 수 있습니다.

동물 친구들이 바닷속을 헤엄치고 있어요. 해초와 조개도 보이네요!
종이를 접어서 자른 모양을 붙이며 바닷속 풍경을 예쁘게 꾸며 보세요.

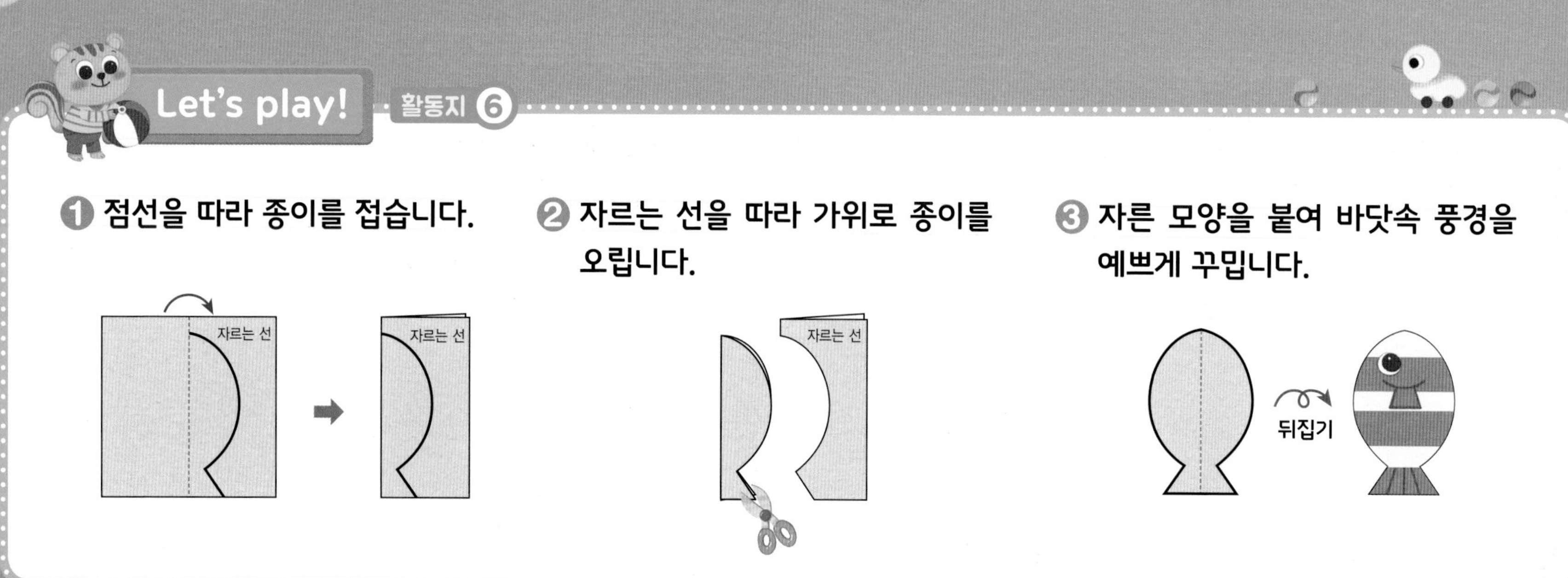

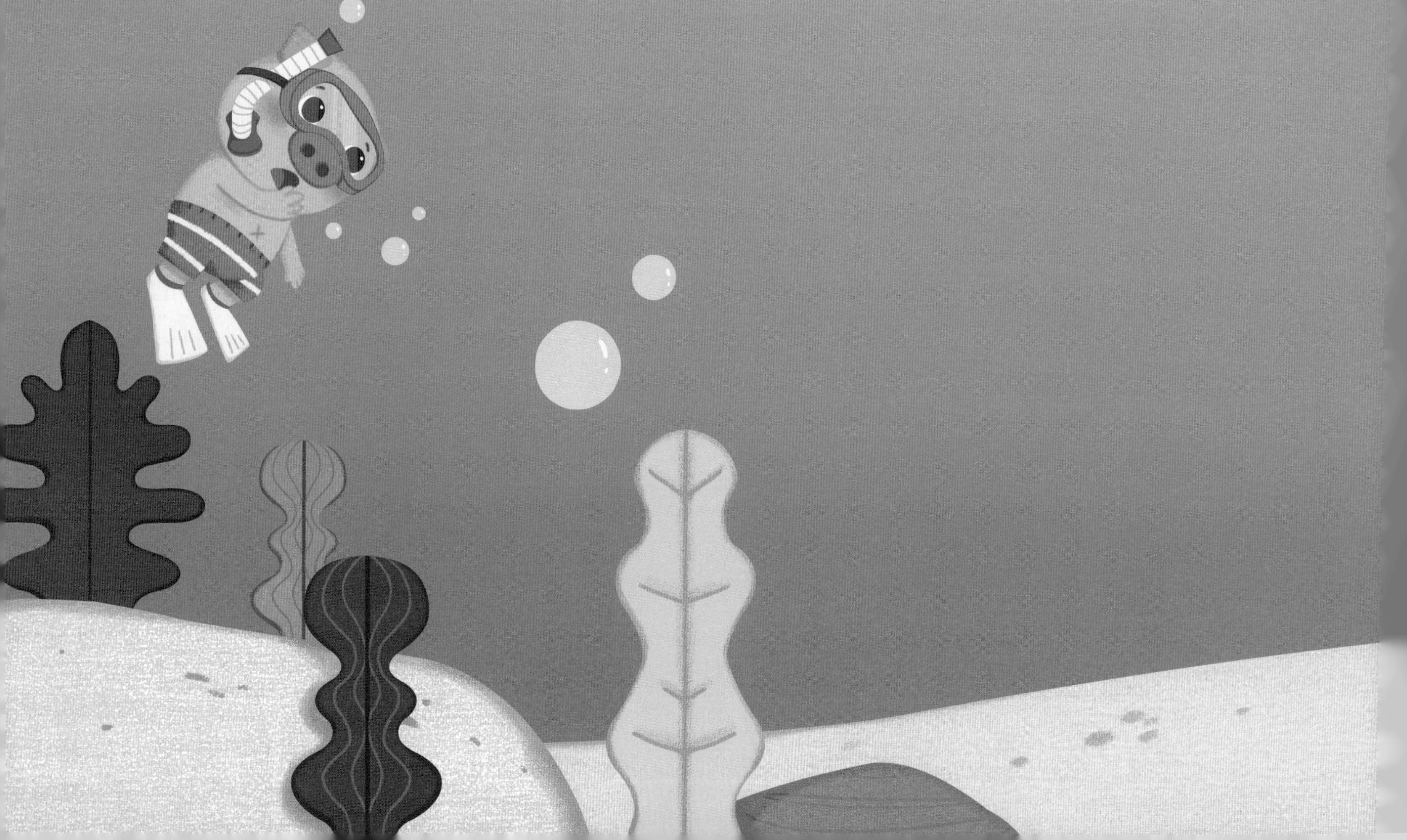

엄마는 선생님!
종이를 접어서 자르면 점선을 중심으로 대칭 모양이 나타나는 것을 알 수 있습니다.

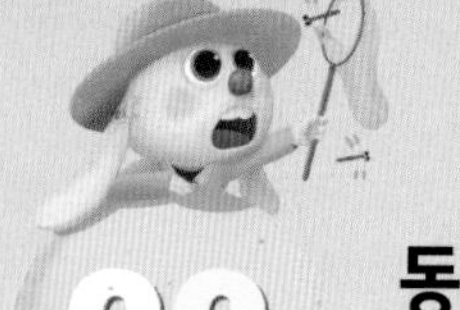

23 동물 친구들이 분수 광장에서 사진을 찍고 있어요. 광장 주변에 예쁜 건물들이 있네요.
블록으로 주변에 있는 건물 모양을 **똑같이** 만들어 보세요. 활동지 ③ ⑦

엄마는 선생님!
블록으로 주어진 모양과 똑같이 만드는 활동을 통해 분석력과 공간 지각 능력을 기를 수 있습니다.

24 동물 친구들이 블록 놀이를 하고 있어요. 여우, 원숭이, 펭귄, 호랑이가 주어진 블록으로 만들 수 **있는** 모양은 어느 것인지 찾아보세요. 활동지 ③ ⑦

엄마는 선생님!
눈으로 구분하기 어려울 때는 활동지 블록을 이용하여 직접 모양을 만들어 확인합니다.

25
동물 친구들이 청소를 하고 있어요. 그런데 먼지가 날려서 방이 지저분하네요.
먼지로 가려진 부분에 알맞은 그림을 붙여 청소를 도와주세요.
활동지 8
활동지 붙이는 곳
활동지 붙이는 곳
활동지 붙이는 곳
활동지 붙이는 곳

전체와 부분의 특징을 관찰하여 알맞은 그림을 찾아내는 활동으로 관찰력과 문제해결력을 기를 수 있습니다.

26 여우와 호랑이가 재미있는 게임을 하려고 해요. 세모 조각과 네모 조각을 이용하여 고양이와 쥐 게임을 해 보세요.

Let's play! 활동지 8

❶ 조각 30개를 주머니에 넣고 섞은 후, 순서를 정해 자기 차례에 눈을 감고 조각 1개를 뽑습니다.

❷ 뽑은 조각은 자신의 게임판에 그려진 선에 맞추어 올려놓습니다.

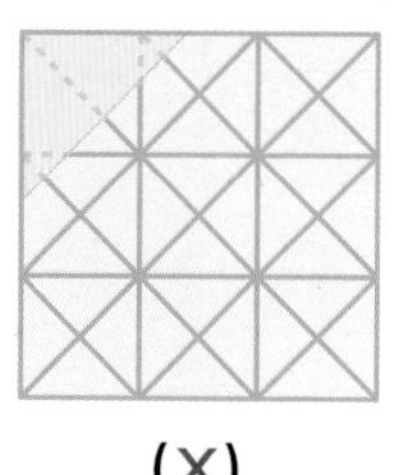

(X)
선에 맞지 않습니다.

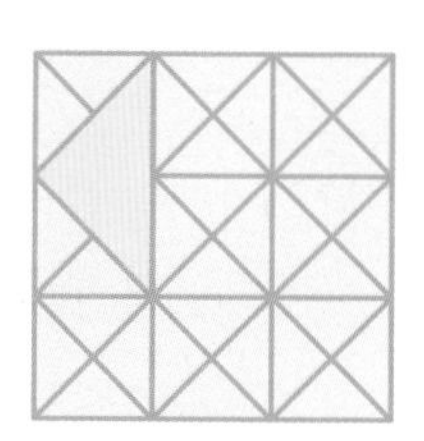

(O)
선에 맞습니다.

❸ 🐱 조각은 🐭 조각과 서로 맞닿게 붙여 놓을 수 없습니다.

<놓을 수 없는 경우>

<놓을 수 있는 경우>

❹ ✋ 조각이 나오면 다른 사람의 게임판에서 원하는 조각 1개를 가져와 자신의 게임판에 놓습니다.

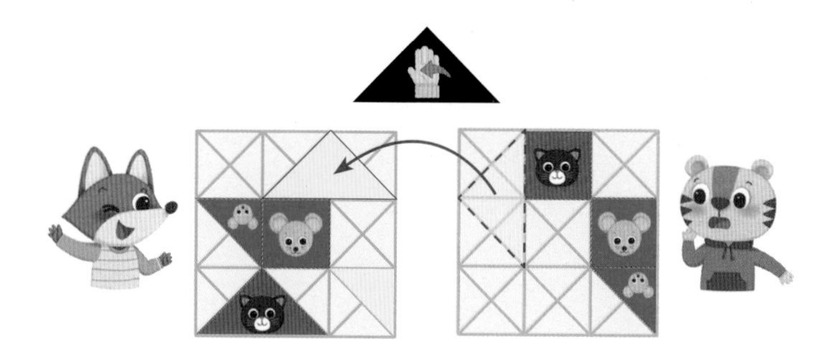

❺ 조각을 놓을 곳이 없다면 그 조각을 다시 주머니에 넣습니다. 그리고 다음 차례로 넘어갑니다.

❻ 먼저 자신의 게임판을 조각으로 모두 채운 사람이 이깁니다.

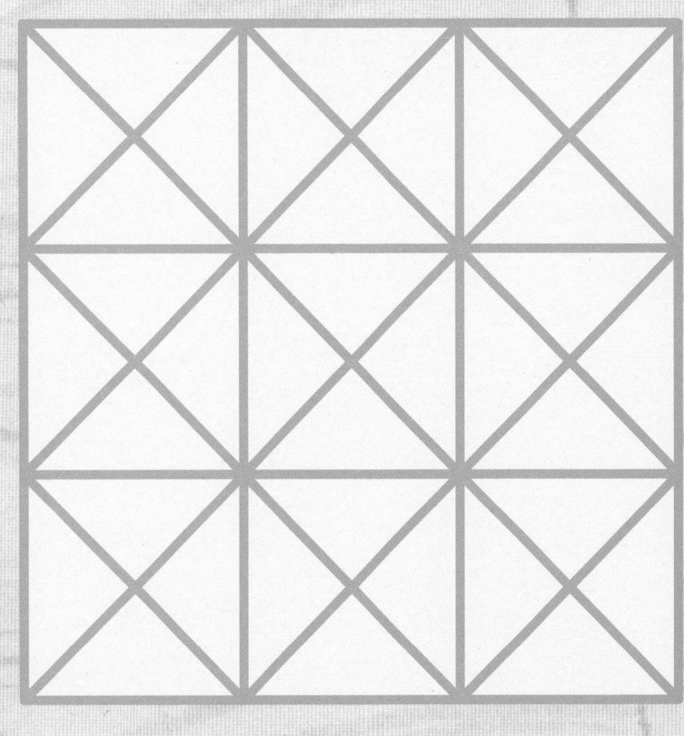

엄마는 선생님!

촉감으로 삼각형과 사각형의 모양을 구분할 수 있으며 게임을 통해 집중력과 사고력을 향상시킬 수 있습니다.

원숭이와 하마가 찍은 사진은 같아 보이지만 사실은 조금 달라요! 어디가 다를까요?
두 사진에서 서로 **다른 5곳**을 찾아 ○표 하세요.

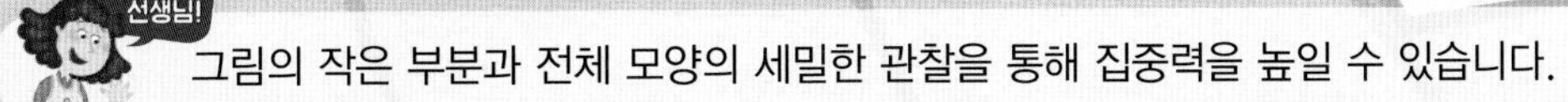

그림의 작은 부분과 전체 모양의 세밀한 관찰을 통해 집중력을 높일 수 있습니다.

28

생쥐가 맛있는 치즈를 먹으려고 해요. 그런데 치즈가 너무 멀리 있어서 먹을 수 없어요.
치즈가 있는 곳까지 생쥐가 갈 수 있도록 **주어진 블록**을 사용하여 길을 이어주세요.

활동지 ③-⑦

① 그림과 같이 게임판, 생쥐, 치즈, 블록을 놓습니다.

② 주어진 블록을 게임판 위에 올려서 생쥐가 치즈까지 갈 수 있도록 길을 이어줍니다.

③ 생쥐는 계단이 그려진 비스듬한 곳으로만 올라가거나 내려갈 수 있고, 블록 위로만 다닐 수 있습니다.

뛰어오를 수 없습니다.

뛰어내릴 수 없습니다.

건너뛸 수 없습니다.

블록은 흔들리거나 쓰러지면 안됩니다.

2
3
4
5
3
4
5
2
3
4
5
엄마는 선생님!
주어진 입체 도형으로 길을 연결하는 활동을 통해 공간 지각 능력과 문제해결력을 키울 수 있습니다.

29

친구들이 예쁜 무늬가 그려진 기차를 타고 있어요. 무늬가 비슷하면서도 모두 달라요.

모양 블록을 사용해서 기차에 그려진 **무늬**를 만들어 보세요.

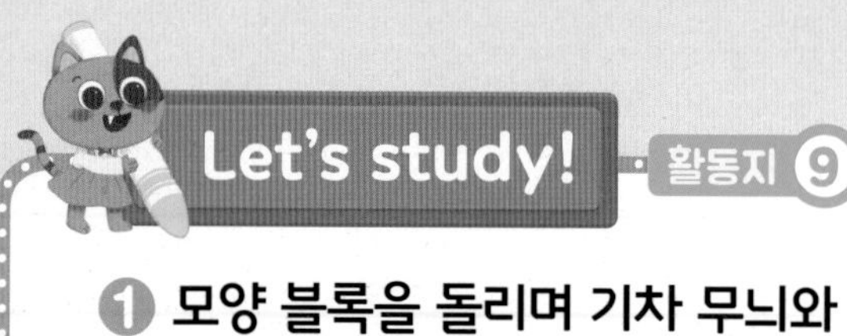

① 모양 블록을 돌리며 기차 무늬와 똑같은 모양을 찾습니다.

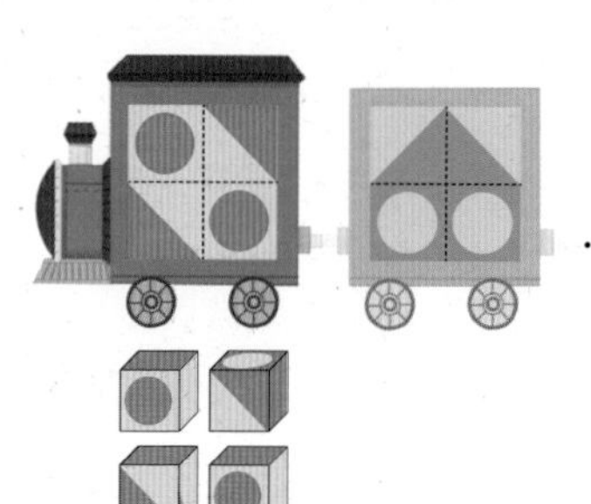

② 기차 무늬 위에 모양 블록을 올려 확인합니다.

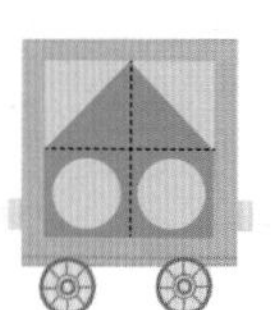

③ 같은 방법으로 다음 무늬를 만들며 반복합니다.

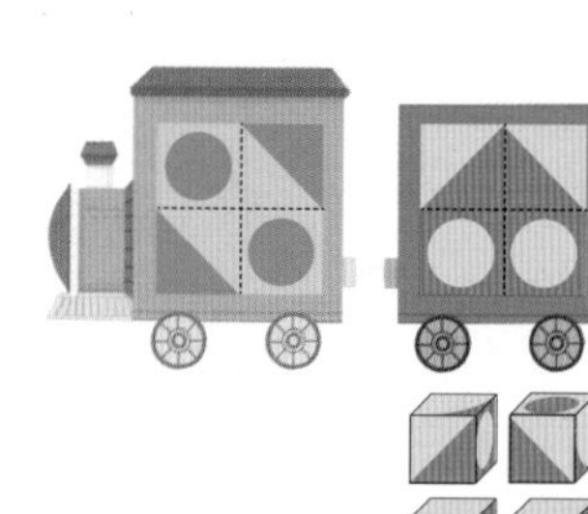

엄마는 선생님!

블록을 회전하며 무늬를 만드는 활동을 통해 공간 감각을 키울 수 있습니다.

30 친구들이 구멍이 뚫린 종이를 겹쳐서 무늬를 만들었어요. 어떤 순서로 종이를 겹쳤을까요? 주어진 종이로 똑같은 무늬를 완성해 보세요.

Let's study! 활동지 9

❶ 구멍이 뚫린 종이를 준비합니다.

❷ 주어진 종이를 돌려가며 똑같은 무늬가 나오도록 순서대로 겹칩니다.

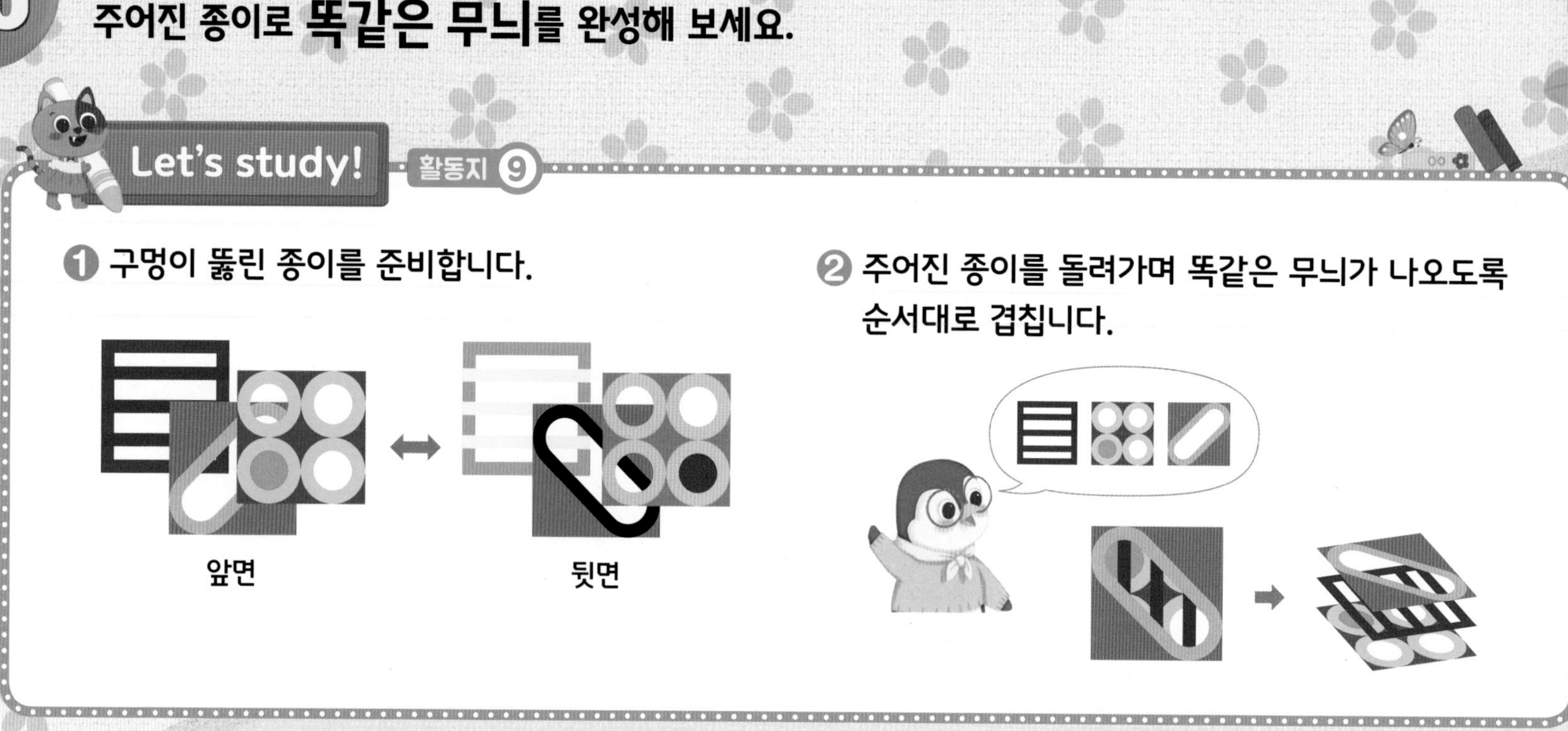

엄마는 선생님!

무늬를 관찰하여 알맞은 순서로 종이를 겹치는 활동을 통해 공간 지각 능력과 추론 능력을 키울 수 있습니다.

MEMO

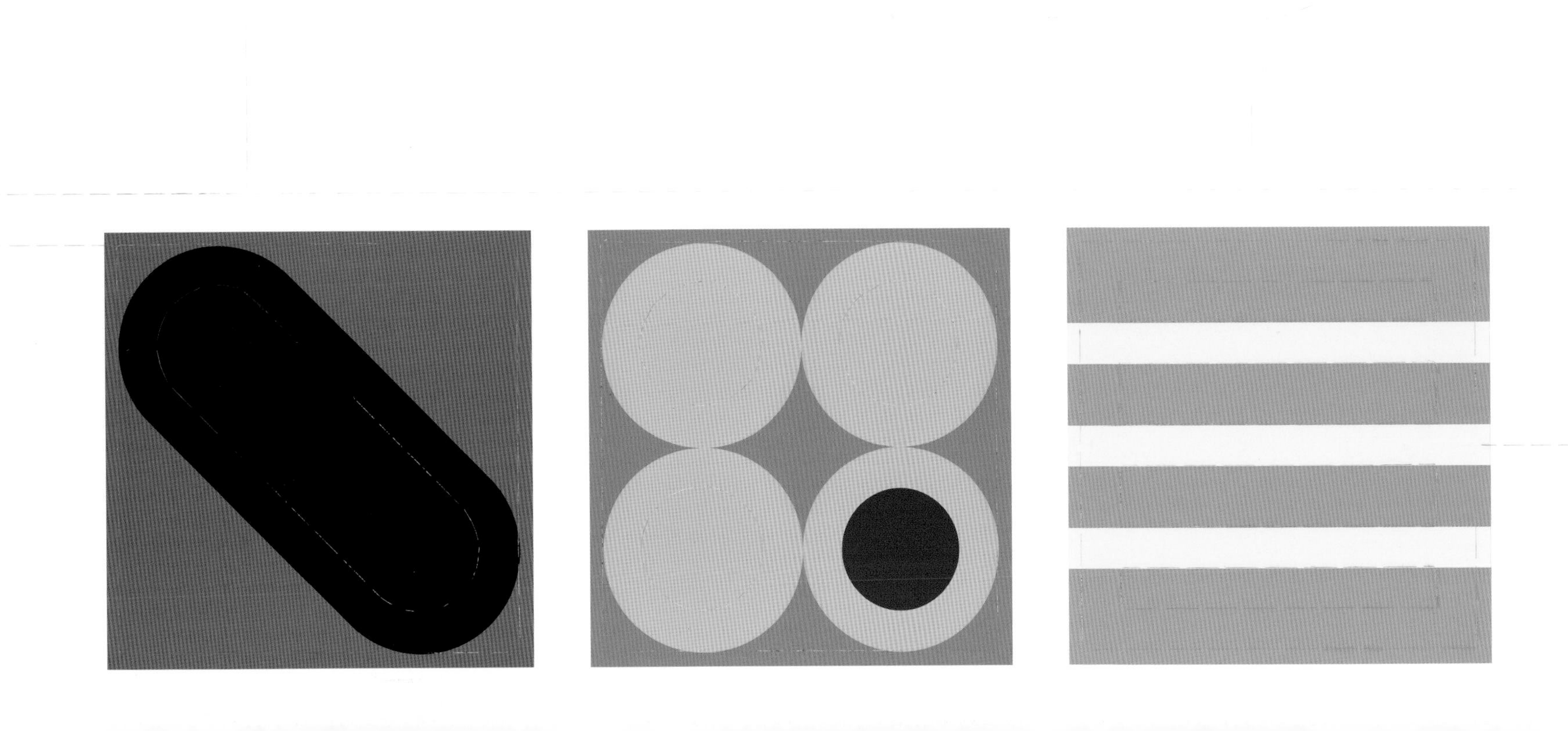

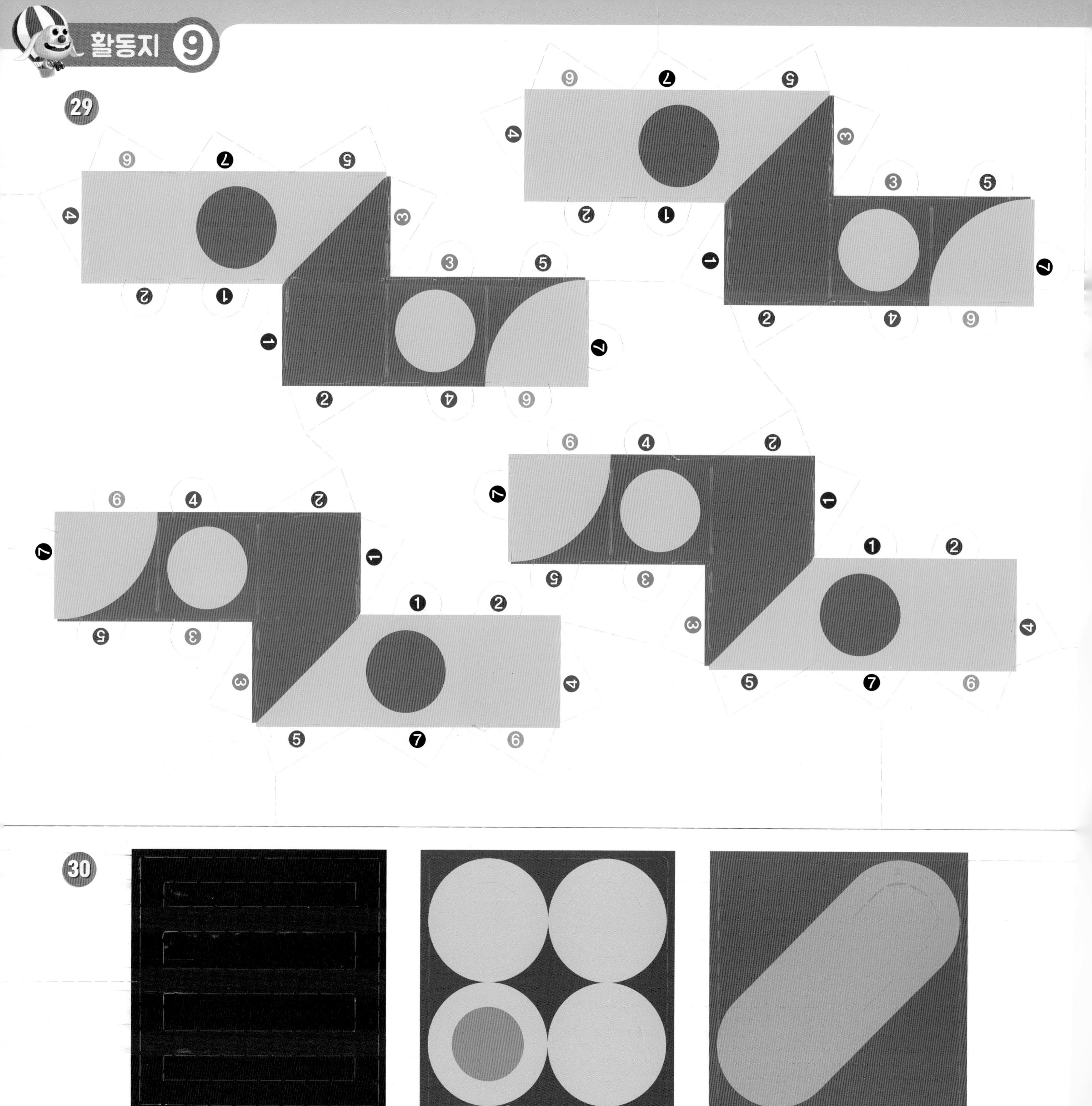
29
30

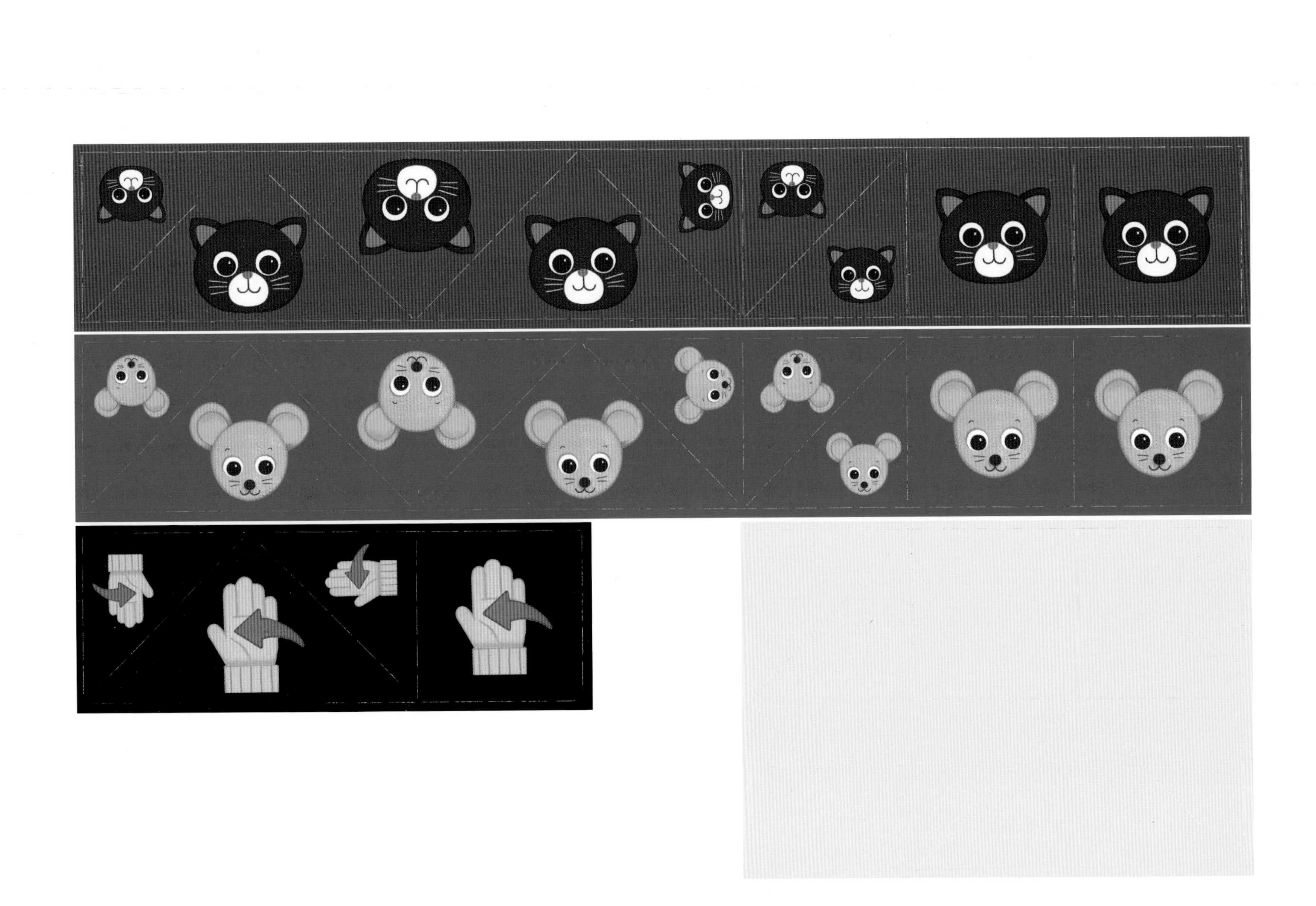

활동지 8

25

26

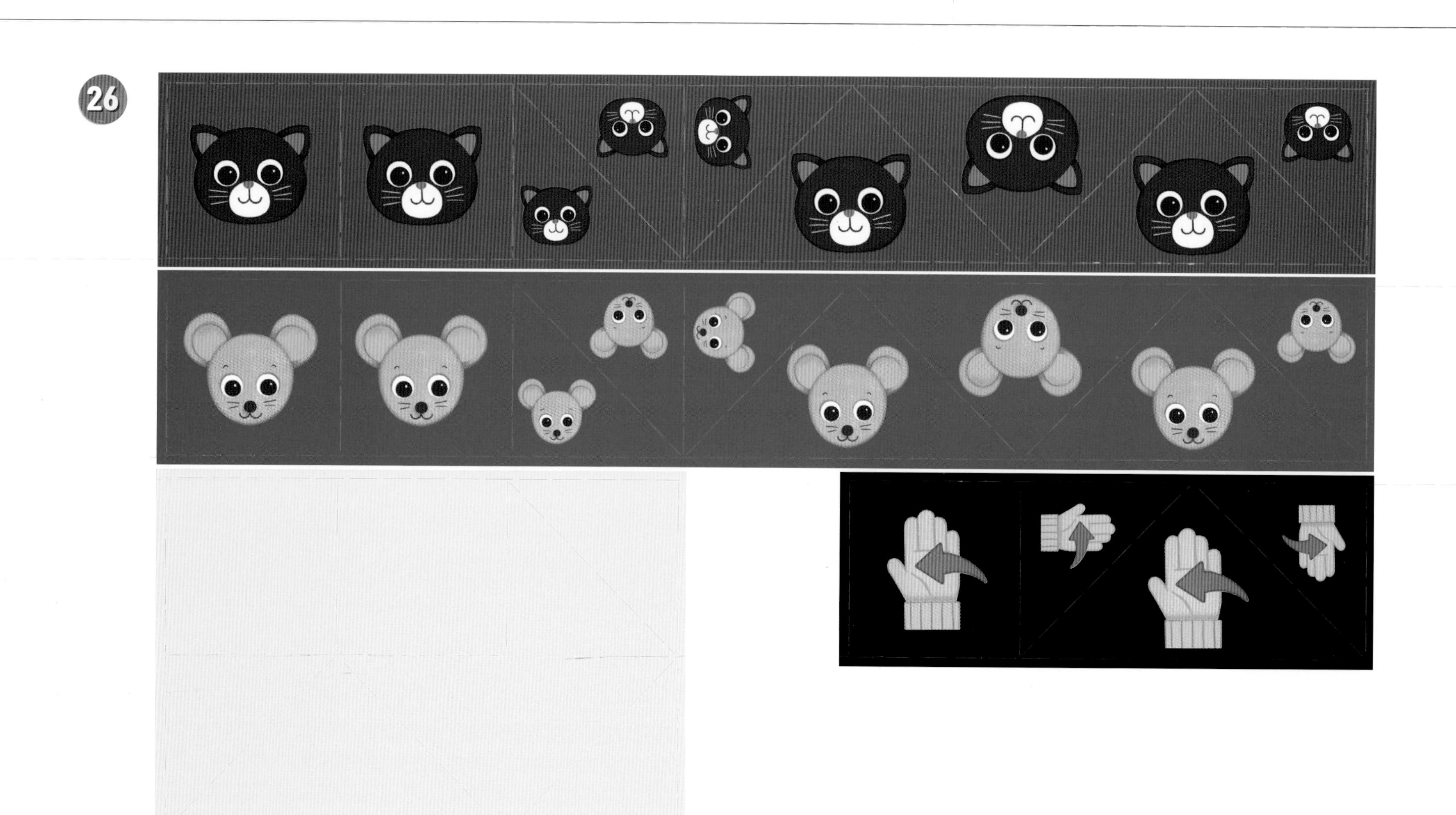

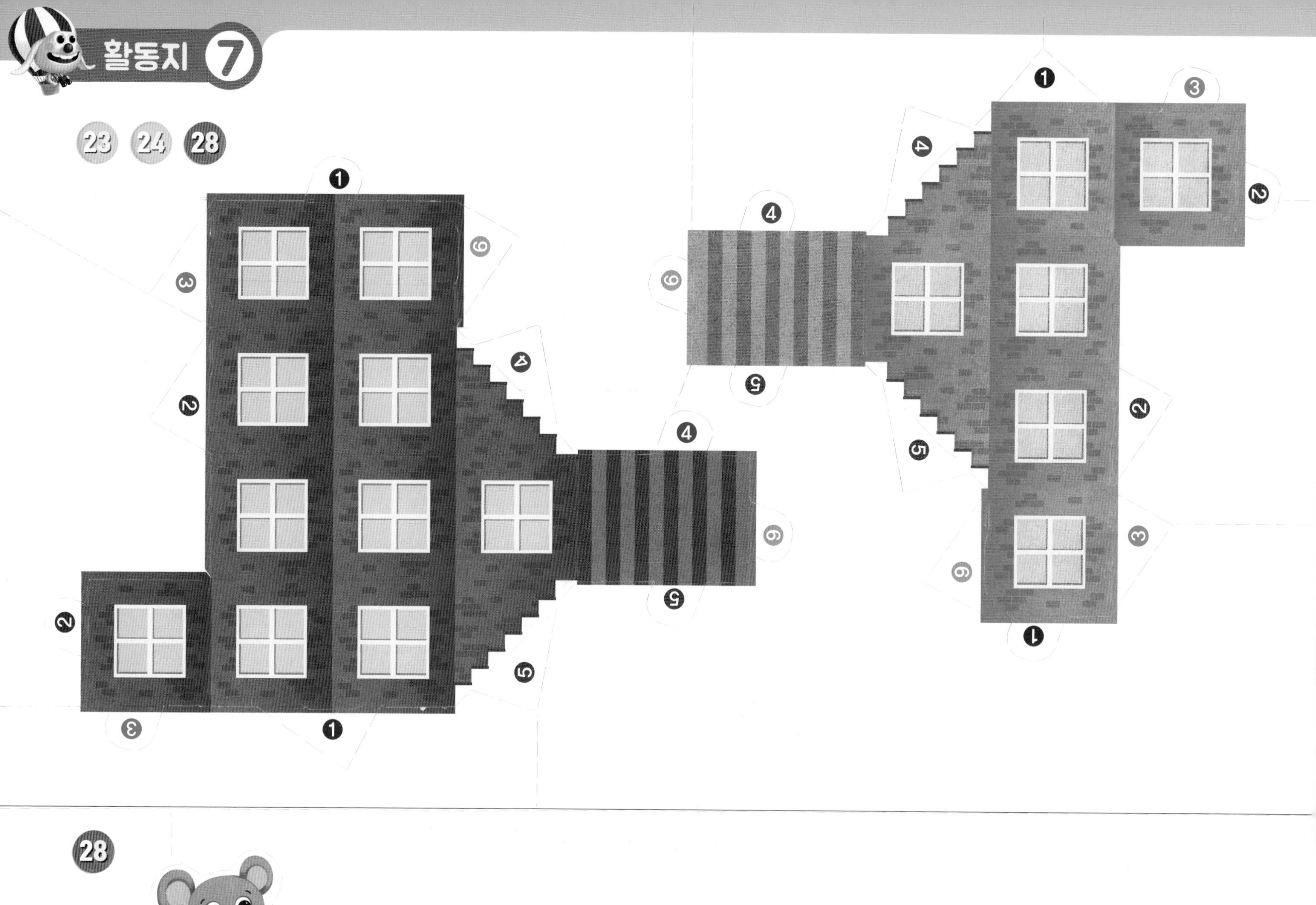

게임말 만드는 방법

접어서 세웁니다.

1	2	3	4	5	6

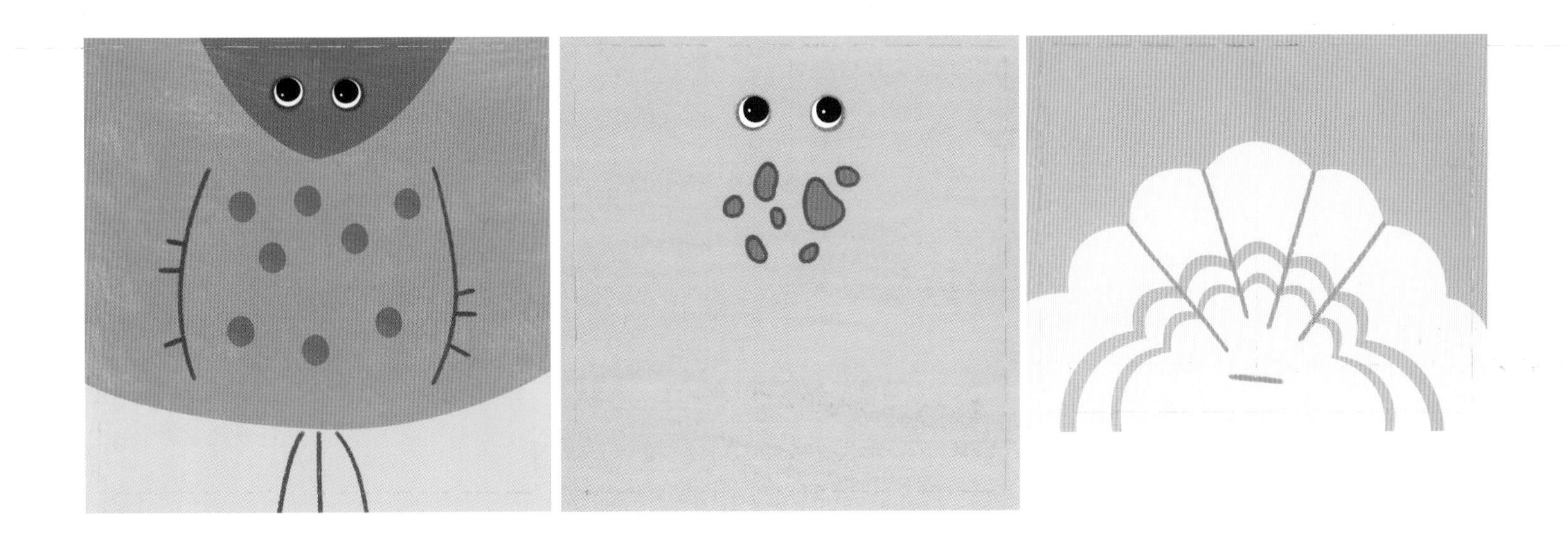

활동지 6

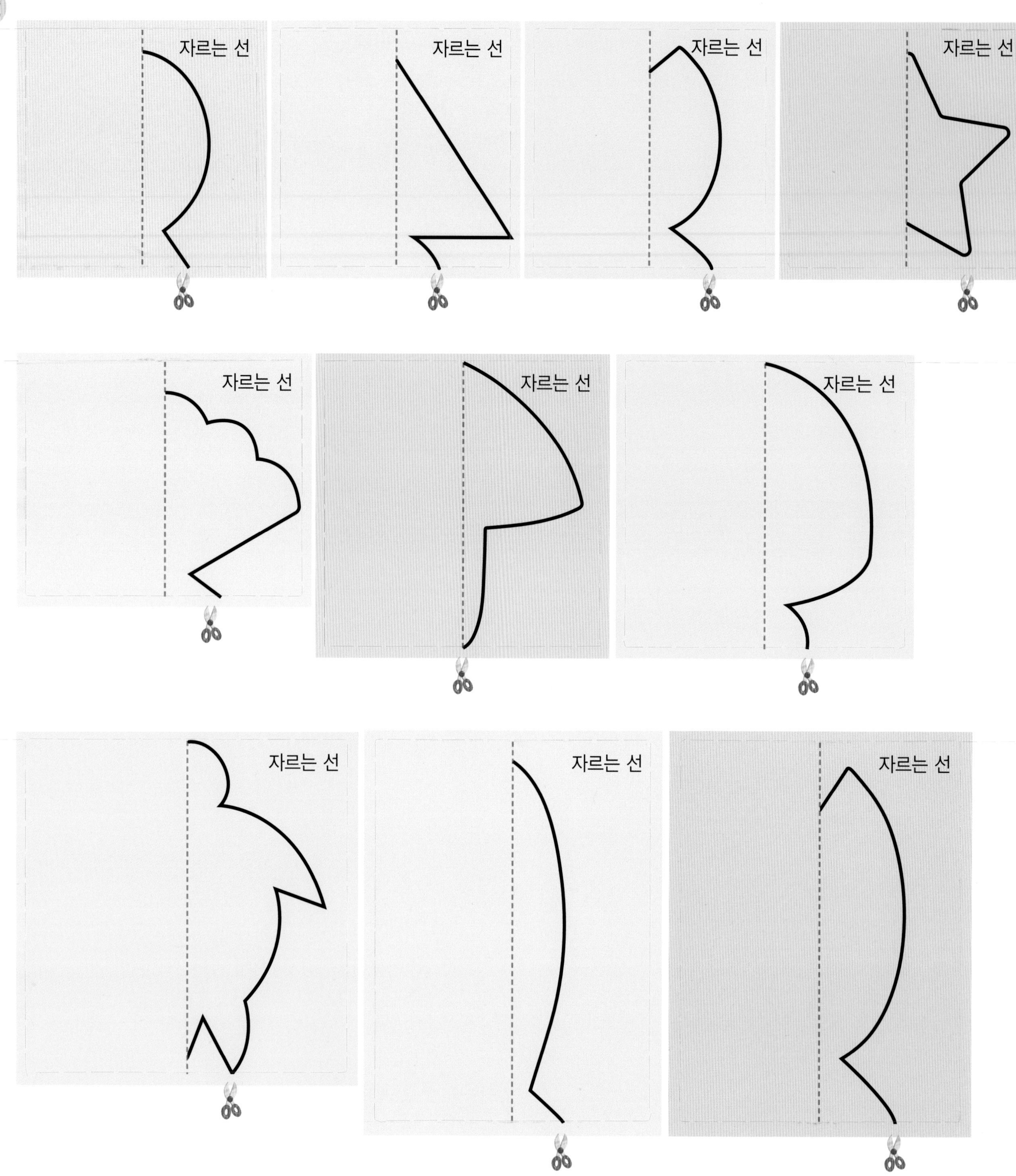
자르는 선
자르는 선
자르는 선
자르는 선
자르는 선
자르는 선
자르는 선
자르는 선
자르는 선
자르는 선

자르는 선

자르는 선

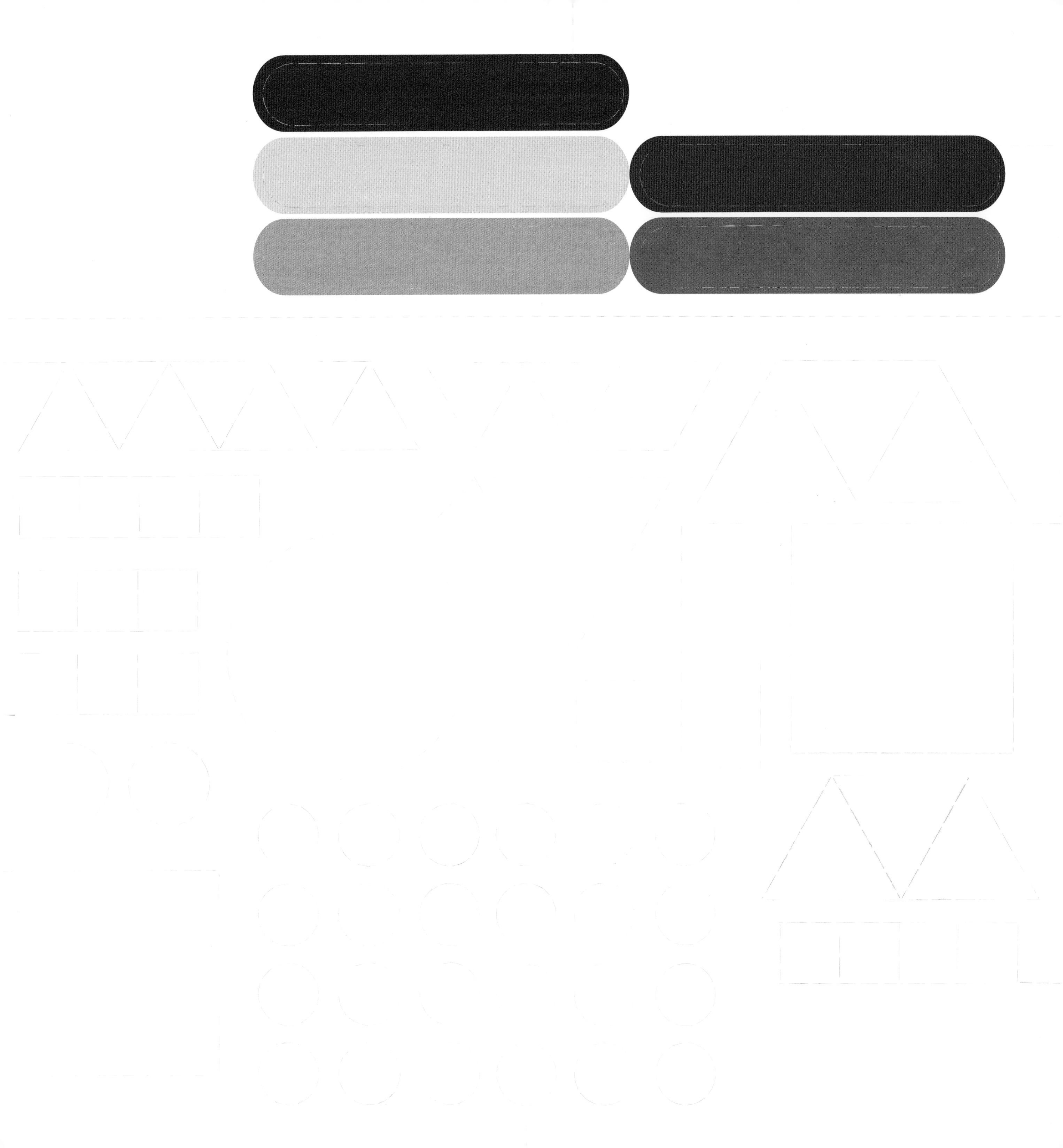

활동지 4
13
16

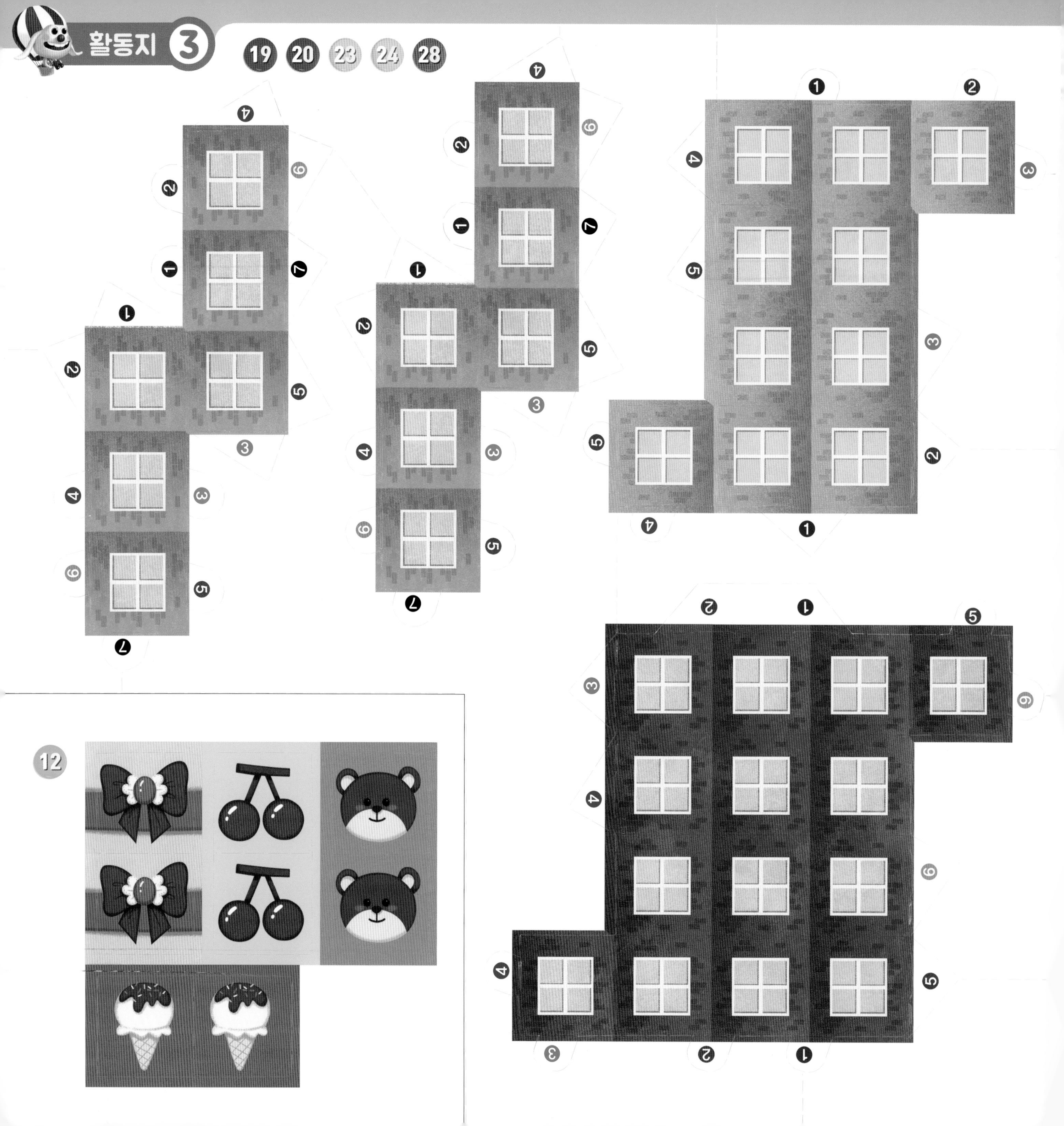

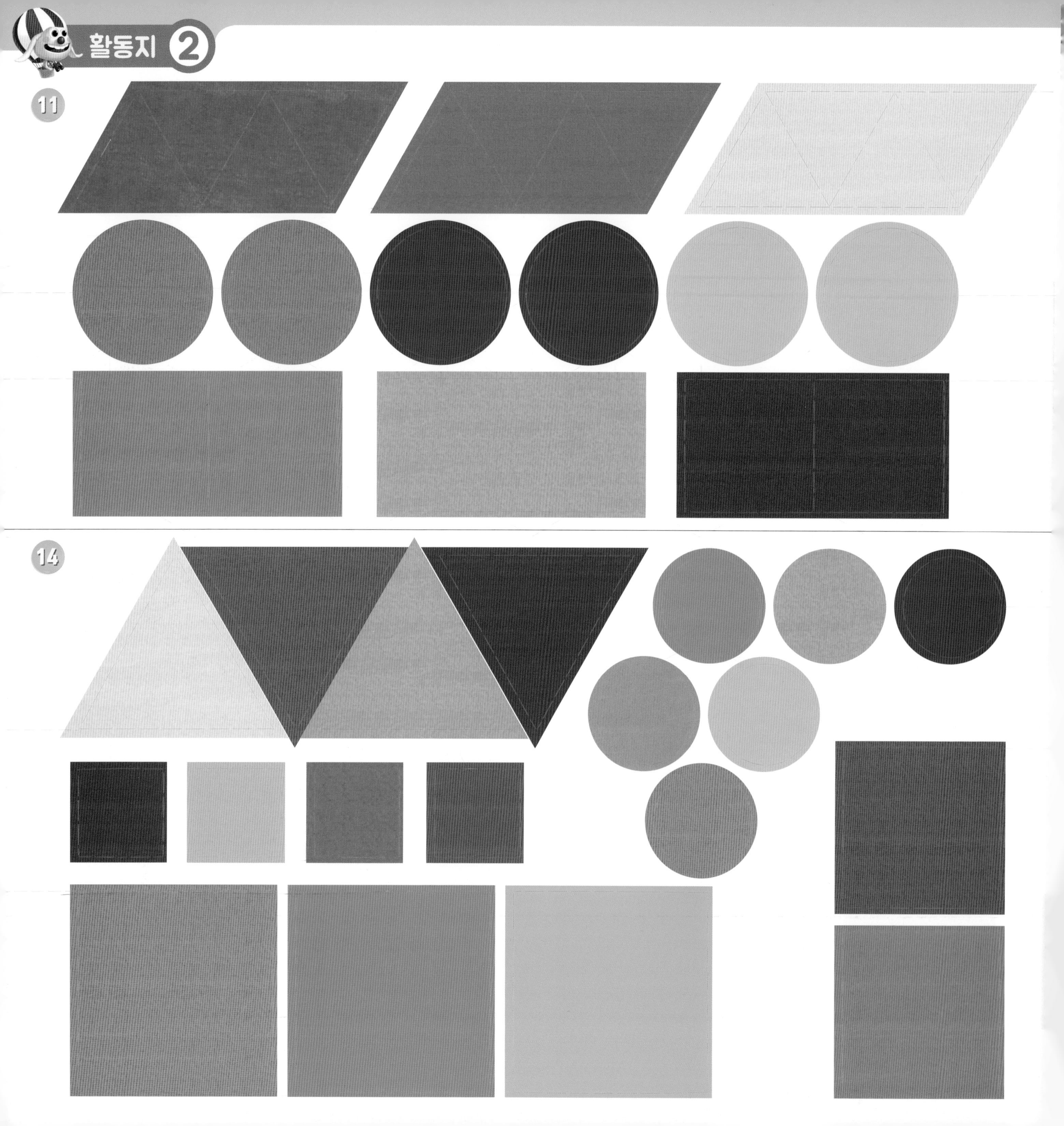
활동지 2
11
14

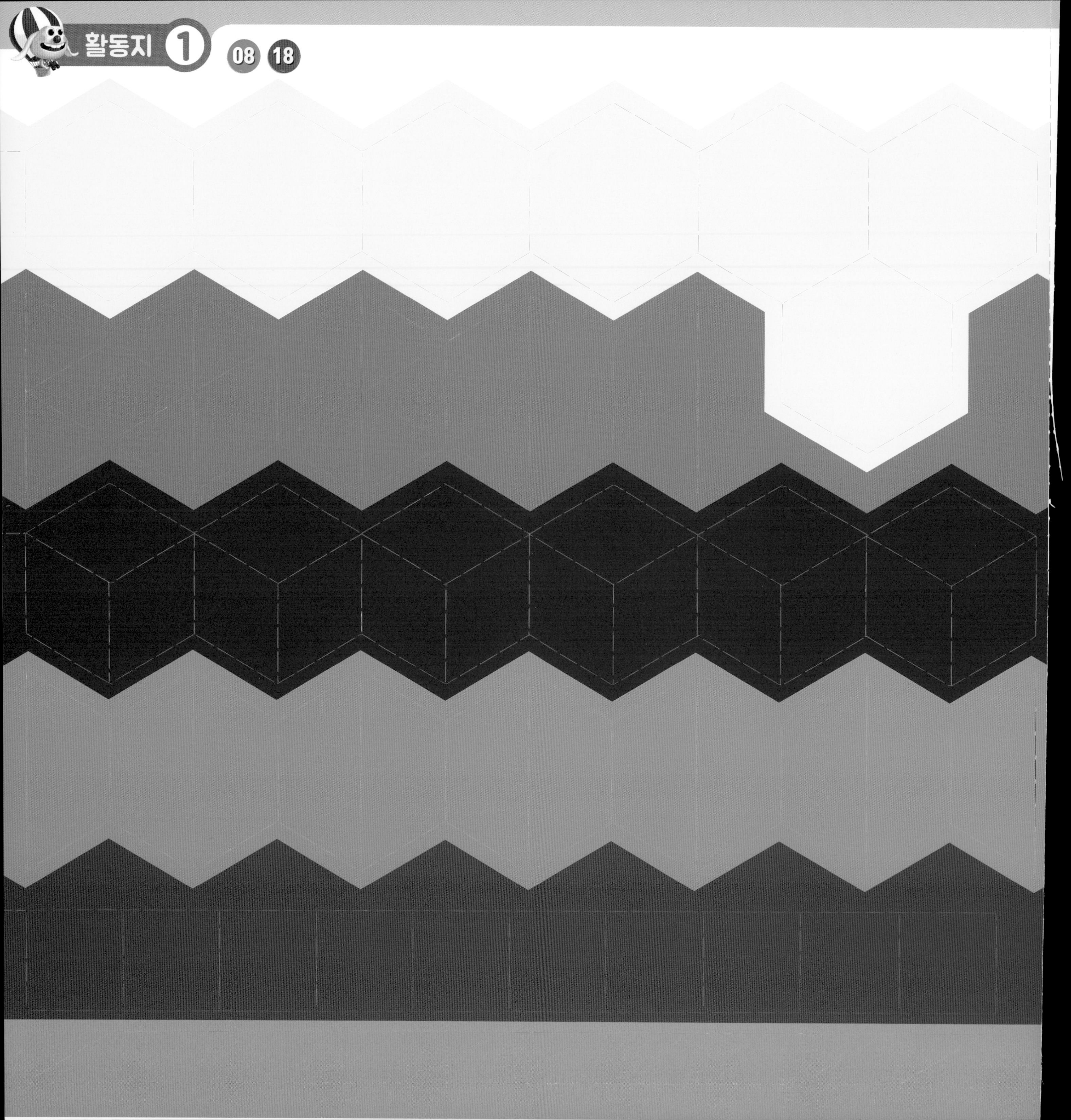
활동지 1
08 18

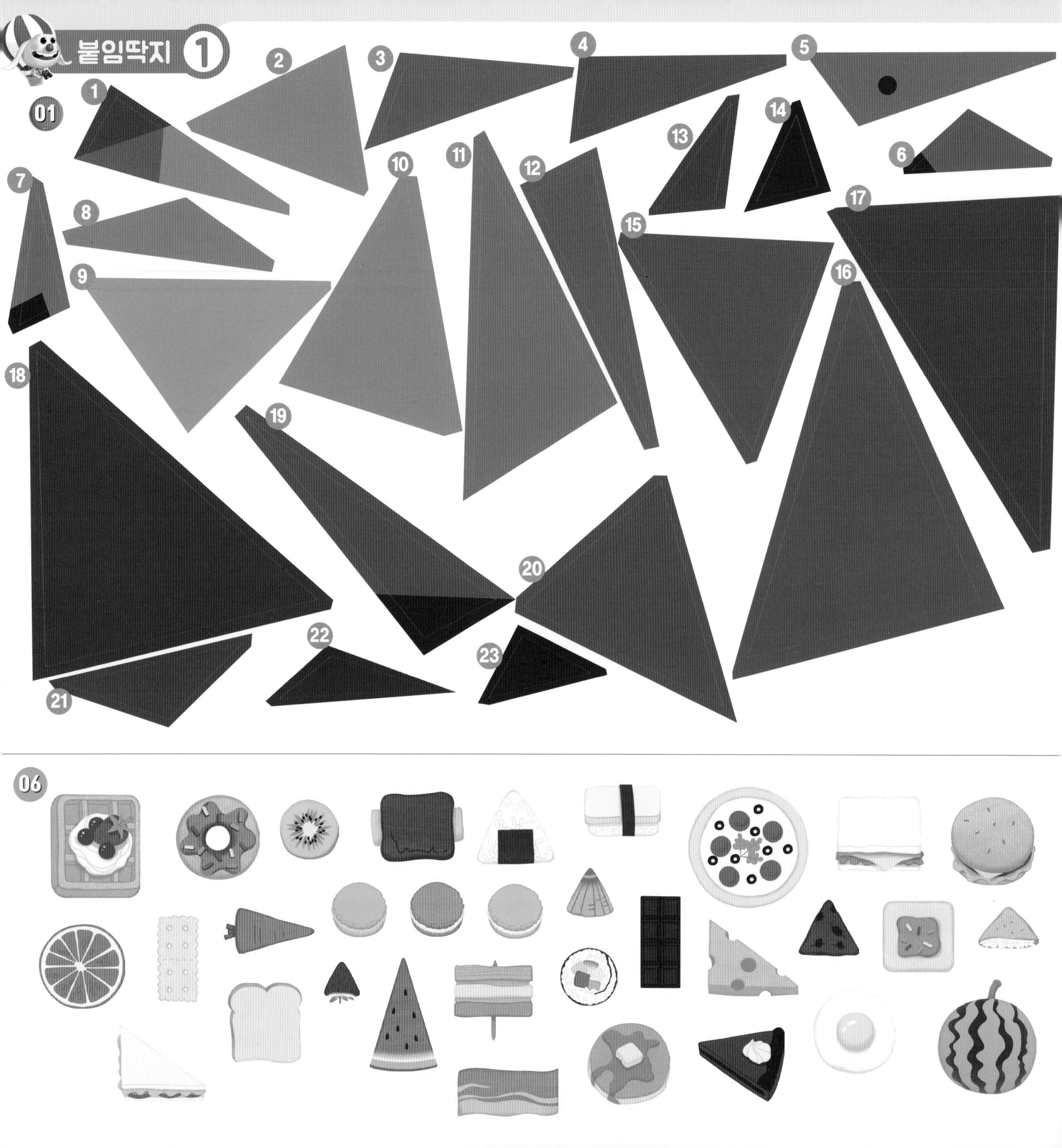
붙임딱지 1
01
1
2
3
4
5
6
7
8
9
10
11
12
13
14
15
16
17
18
19
20
21
22
23
06

붙이는 곳

붙이는 곳

붙이는 곳

붙이는 곳

활동지 보관 상자

※ 활동지(카드, 주사위, 칩 등)를 사용한 후 보관 상자에 담아 두었다가 필요할 때마다 사용하세요.

보관방법 1

보관방법 2

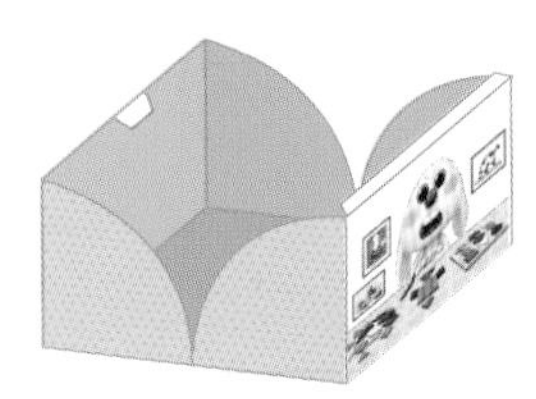

풀칠하는 곳

풀칠하는 곳

매스티안

풀칠하는 곳

FACTO

풀칠하는 곳

SHAPES

논리적 사고력과 창의적 문제해결력을 키워 주는

매스티안 교재 활용법!

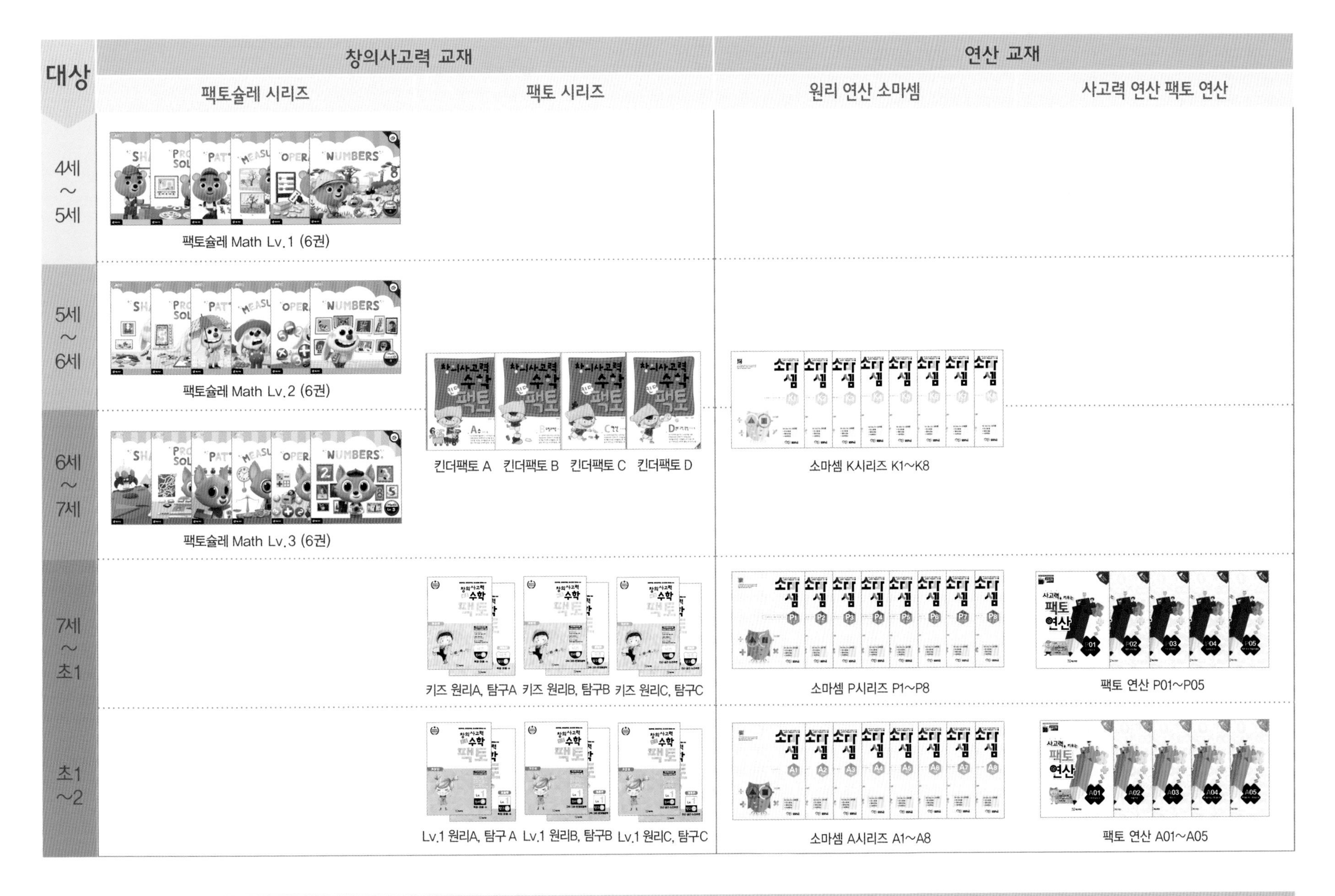

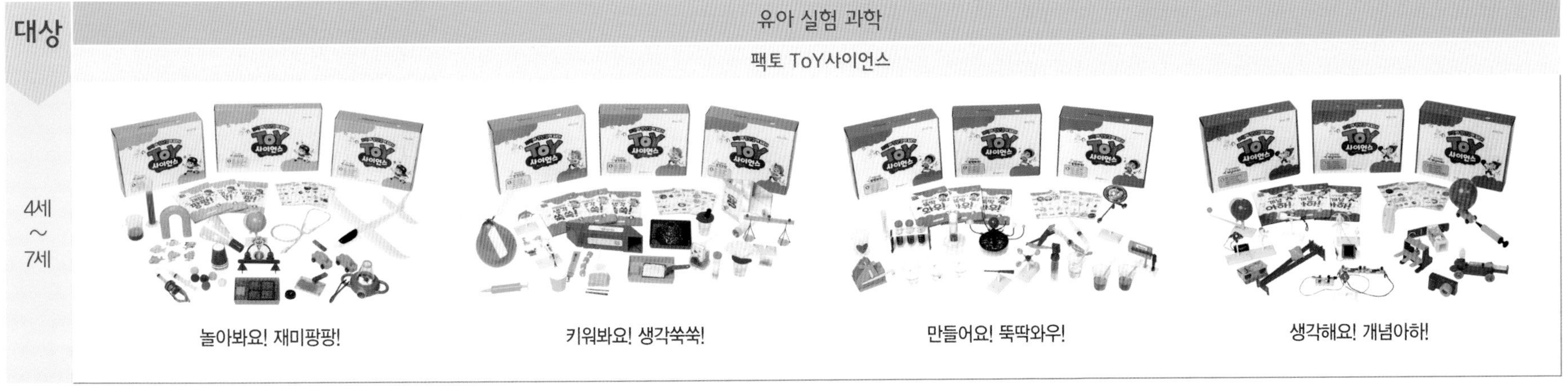

5~6세

FACTO SCHULE

자율안전확인신고필증번호 : B361H200-4001

1. 주소 : 04799 서울시 성동구 광나루로 310(성수동2가)
2. 문의전화 : 1588-6066
3. 제조년월 : 2019년 3월
4. 제조국 : 대한민국
5. 사용연령 : 5세 이상

※ KC마크는 이 제품이 공통안전기준에 적합하였음을 의미합니다.

⚠ 주의

종이, 모서리에 다칠 수 있으니 주의하세요!

값 11,000원